El cumpleaños de

Herbert

Text and illustrations by Terry Waltz

El cumpleaños de Herbert

Text and illustrations by Terry T. Waltz
Spanish edition edited by Ana Andrés del Pozo

ISBN-13: 978-1-946626-48-6
Published by Squid For Brains
Albany, NY

Hoy es el cumpleaños de Herbert.

Quiere comer *pizza*.
Le gusta mucho la *pizza*.

Herbert está en Nueva York.
Hay un restaurante Burger Queen
en Nueva York.

En Burger Queen hay hamburguesas, pero no hay *pizza*.

Herbert está enfadado
porque quiere comer *pizza*.

Quiere comer *pizza* porque hoy es su cumpleaños.

Herbert tiene un amigo en Roma.
Se llama Gio.

El amigo de Herbert le invita a comer pollo.

A Herbert le gusta mucho
comer pollo. Pero hoy
no quiere comer pollo.

¡El amigo de Herbert está enfadado!

Herbert, ¿por qué no comes pollo conmigo? ¡Es deliciosa la carne de pollo! ¿A ti no te gusta comer pollo?

Herbert dice: «A mí me gusta mucho el pollo. Muchas gracias.

Pero hoy es mi cumpleaños.
¡Quiero comer *pizza*!».

¡Gio está muy enfadado!
Está enfadado porque Herbert
no quiere comer pollo con él.

Herbert llora porque su amigo
está enfadado con él.

Pero Herbert no come
pollo con su amigo.

Herbert va a París.
Tiene un amigo en París.

El amigo de Herbert en París
se llama Pierre.

Su amigo en París le invita a comer *croissants*.

A Herbert le gusta mucho comer *croissants*. Pero hoy no quiere comer *croissants*.

¡El amigo de Herbert está enfadado!

El amigo de Herbert dice: «Herbert, ¿por qué no quieres comer *croissants* conmigo?».

Hay *croissants* deliciosos en París.
¿A Herbert le gustan?

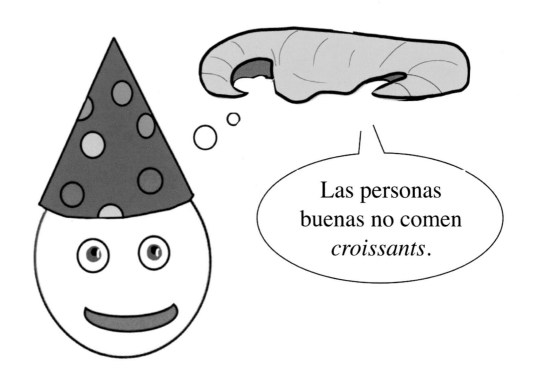

Herbert dice:
«A mí me gusta mucho comer *croissants*. Muchas gracias.

Pero hoy es mi cumpleaños.
No quiero comer *croissants*.

¡Quiero comer *pizza*!».

Pierre está muy enfadado. Está muy enfadado porque Herbert no quiere comer *croissants* con él.

Herbert llora porque no quiere comer *croissants* con Pierre, y Pierre está muy enfadado con él.

Herbert va a
Hong Kong.
Tiene un
amigo en
Hong Kong.
Su amigo se
llama A-San.

Hola, me llamo

A-San

A-San invita a Herbert a comer *dimsum*. A Herbert le gusta mucho comer *dimsum*.

Pero Herbert no quiere comer *dimsum* hoy. ¡El amigo de Herbert está muy enfadado!

A-San dice:
«Herbert, ¿por qué no quieres comer *dimsum* conmigo?

Somos amigos, ¿no?».

Herbert dice:
«¡Sí! Somos buenos amigos.

Pero hoy es mi cumpleaños.

**No quiero comer *dimsum*.
¡Quiero comer *pizza*!».**

¡A-San está muy enfadado! Está enfadado porque Herbert no quiere comer *dimsum* con él.

Herbert piensa: «Mis amigos me invitan a comer pollo, y *croissants*, y *dimsum*. Pero ¡yo quiero comer *pizza*!».

Herbert está muy enfadado.
Va a Nueva York.

¡Wendy McRonald, la Burger Queen, está en Nueva York!

Wendy McRonald dice:
«¡Le invito a comer *pizza*!
¡Feliz cumpleaños, Herbert!».

Glossary

a: to
alto: tall
amigo: friend
amigos: friends
años: years
ayer: yesterday
buenas: good
buenos: good
carne: meat
come (no comas): eat! (don't eat!)
come: s/he eats
comen: they eat
comer: to eat
comes: you eat
con: with
conmigo: with me
contigo: with you
cumpleaños: birthday
de: of
deliciosa: delicious
dice: s/he says
diecinueve: 19
dieciocho: 18
diecisiete: 17
dijo: s/he said
dónde: where?
dos: two
el: the
él: he
en: in
enfadado: angry
eres: you are
es: s/he/it is
está en: s/he is at/in

está enfadado: he is angry
están enfadados: they are angry
estoy enfadado: I am angry
feliz: happy
feliz cumpleaños: Happy Birthday!
gallina: hen
gente: people
guapo: handsome
hamburguesas: hamburgers
hay: there is/are
hoy: today
invita: s/he invites
invitarnos: invite us
invito: I invite
la: the
le: to him/her
le gusta: s/he likes it
le gustan: s/he likes them
le invito: I invite you (formal)
llora: s/he cries
malo: bad
mañana: tomorrow
más: more
me gusta: I like it
me invitan: they invite me
mi: my
mis: my
muchas gracias: Thanks a lot
mucho: a lot
muy: very
no: no, not
Nueva York: New York
nuevo: new
pastel: cake

pero: but
personas: people
piensa: s/he thinks
pollo: chicken
por qué: why?
porque: because
puedes: you can
que: that
quiere: s/he wants
quieres: you want
quiero: I want
restaurante: restaurant
Roma: Rome
se llama: s/he calls him/herself
  (s/he is named)
somos: we are
soy: I am
su: his/her
también: also
te: you, to you
tenemos: we have
tener: to have
tengo...años: I am ... years old
tenía...años: I was...years old
ti: you
tiene: s/he has
un: a
una: a
va: s/he goes
voy a: I will
y: and
yo: I

Made in the USA
Coppell, TX
19 February 2020